# めざせ！ かんさつ・そだてる・まとめる やさい名人

監修：河村 亮（三和農園）　指導：加藤真奈美（学習院初等科教諭）・長代 大（学習院初等科教諭）

## ② キュウリ

小峰書店

# この本を読む　みなさんへ

　みなさんは、やさいを　そだてたことが　ありますか？　小さなたねや　なえから、だんだんと大きくなっていく　やさいを見るのは、とても楽しいものです。そして、自分でそだてた　やさいを食べると、いつもより　もっとおいしく　かんじられます。どうしてだと思いますか？　それは、みなさんが　そだてるために　がんばった時間や　きもちが、やさいのあじに　くわわるからなんです。

　この本では、やさいを　そだてるときのコツやポイント、かんさつや、かんさつしたことを　まとめるほうほうを　しゃしんと絵をつかって　わかりやすく　しょうかいしています。やさいは、しゅるいによって　ちがう形を　していたり、はっぱや花のようすが　ちがったりします。よくかんさつすると、「こんなふうになっているんだ！」という　新しいはっけんが　たくさんありますよ。
　ぜひ、この本を　さんこうにして、いろいろなやさいを　そだててみてください。自分でそだてたやさいは、とくべつです。楽しくそだてて、食べて、やさいのことをもっと　すきになってくださいね！

河村　亮（三和農園）

---

## この本に出てくるのは…

### カワムラさん
やさいづくりのプロ。キュウリのほかにも、いろいろなやさいを　つくっている。

### シオリさん
生きものを　そだてたり、かんさつしたりするのが　大すきな小学2年生。

### リンさん
おいしいものが　大すきな小学2年生。もちろん　やさいも大すき！

# どうがの見かた

この本のQRコードを タブレットやスマートフォンのカメラで読みこむと、インターネットで どうがを見ることが できます。

なえのうえかたを どうがで見てみよう！

QR
コード

がめんに QRコードがうつるようにします。

QRコードは、デンソーウェーブの登録商標です。

# さいばいとかんさつ

## さいばい に つかうもの

キュウリを　そだてるとき、どんな　ものが　ひつようかな？

### キュウリの　なえ

なえは、たねから　め
が　出たあと、
少し　そだてた
もの。

**ジョウロ**

やさいに　水をやる　どうぐ。

**シャベル（スコップ）**

土をほる　どうぐ。

**プランターや　うえきばち**

やさいを　そだてるときに　つか
う　入れもの。

**ひも**

やさいと　しちゅうを　むすぶ
ときに　つかう。テープを　つ
かっても　よい。

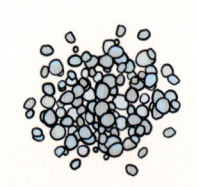

**土（ばいよう土）**

ひりょうを　まぜた土を
ばいよう土という。

**ひりょう**

やさいのえいように
なる。

**しちゅう**

やさいが　たおれないように
ささえる　ぼう。
キュウリを　そだてるときは、
1m〜1m50cm　くらいの
ものを　よういすると
よい。

# の じゅんびを しよう

## 🍦 さいばい するときの ちゅうい

キュウリを せわするとき、どんな ことに 気をつければ いいかな？

### うごきやすい ふくを きて、ぼうしを かぶろう

日ざしが 強いときは、ぼうしを かぶろう。
はだが 弱い人は、てぶくろを つけよう。

### 毎日、わすれないで 水を やろう

午前中に、水を たっぷり やろう。

### やさいのせわを したら、手を あらおう

せっけんを つかって、しっかり あらおう。

### わからないことは、くわしい人に 聞いたり、しらべたりしよう

本やインターネットでも しらべてみよう。

# かんさつ に つかうもの

キュウリを かんさつするとき、どんな ものが ひつようかな？

## 虫<small>むし</small>めがね

はっぱや花<small>はな</small>のようすを
大<small>おお</small>きくして 見<small>み</small>ることが
できる。

## ものさし、メジャー

くきの高<small>たか</small>さや はっぱの大<small>おお</small>きさを
はかるときに つかう。

## ひっきようぐ

文<small>ぶん</small>や絵<small>え</small>で かんさつしたことを
きろくするときに つかう。絵<small>え</small>は、
色<small>いろ</small>えんぴつや クレヨンを つかって
はっぱや花<small>はな</small>の色<small>いろ</small>が わかるようにする。

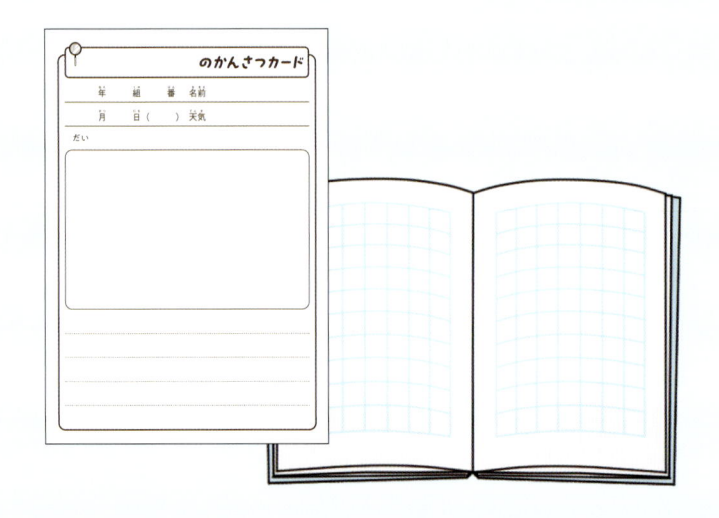

## かんさつカード、ノート

かんさつして わかったことを かいておく。
かんさつカードは、この本<small>ほん</small>のさいごの
ページを コピーして つかおう。

## タブレットたんまつ

やさいの しゃしんを とったり、
気<small>き</small>づいたことを ろくおんしたり
して、きろくする。

# かんさつ のときに すること

キュウリを かんさつするとき、どんな ことを すれば いいかな？

**見る**

いろいろな ほうこうから 見てみよう。
はっぱや花は、何色かな？ どんな 形を してい
るかな？ 数も 数えてみよう。

**さわる**

さわると、どんな かんじかな？ すべすべ？
ざらざら？ 太さや あつさは、どうかな？
おもてと うらで ちがうかどうかも しらべよう。

**かぐ**

どんな においが するかな？
においは、何に にているかな？

**はかる**

大きさや長さは、どのくらいかな？
同じくらいのものは、ほかに あるかな？

## かんさつメモを つくろう

かんさつするときは、右のようなメ
モに、気がついたことを かいてお
きましょう。

| | | 月 日 |
|---|---|---|
| 見る | 色と形 | |
| さわる | さわったかんじ | |
| かぐ | におい | |
| はかる | 大きさと長さ | |
| きもち | かんじたこと 考えたこと | |

# キュウリを そだてよう！

はじめに、キュウリのことを しらべてみましょう。

## キュウリは どんな やさい？

キュウリは、あたたかいところで生まれた やさいです。
だから、あたたかいきせつに よく そだちます。
わたしたちが 食べるのは、キュウリの みです。
みは、水を いっぱいふくんでいて、
生で食べると シャキッとした
はごたえが あります。

へたが ついているよ。

みどり色で細長いよ。

さわると かたいよ。

とげが あるよ。

みの長さ
20cm
くらい

お店で売っているのは、
じゅくす前の みだよ。
キュウリは、じゅくすと
黄色になるんだ。

じゅくしたキュウリの み

キュウリの みの中は、うすい
みどり色を しています。
まん中には、たくさんのたねが
ならんでいます。

みを よこに切ったところ

うすい みどり色だよ。

たね

キュウリが
じゅくすと、
みの中も 黄色に
なるんだって。

## キュウリの なかま

みんな「ウリ科」という
しょくぶつの なかま
です。

メロン

ツルレイシ
（ゴーヤ）

カボチャ

# キュウリを そだてよう！

## さいばい スタート　なえを うえよう！

キュウリのなえを　はたけやプランターに　うえましょう。
ねっこが　よくのびて、元気にそだちます。

## なえのうえかた

① はじめに、ポットに入った　なえに　水を　たっぷり　やる。

② なえが　入る大きさの　あなを　ほって、そのあなに　水を　たっぷり　やる。

③ なえを　ポットから　そっと　出して、あなに　うえる。

くきを　ゆびで　はさむ。

④ なえから　少しはなれたところに　しちゅうを　立てる。

● ―しちゅう

8ｃｍくらいはなして　立てる。

⑤ しちゅうと　なえを　ひもで　むすぶ。

ひもが「8」の字になるように　むすぶ。

なえのうえかたを　どうがで見てみよう！

なえのせが
ひくいときは、少し
大きくなってから、
なえと　しちゅうを
ひもで　むすぶと
いいよ。

⑥ 水を ねもとにかけるように たっぷり やる。

しちゅうを 立てて、
なえが たおれない
ようにするんだって。

👀 はっぱは、どんな 形かな?

## かんさつ名人になろう!

| 👀 見る | ✋ さわる | 👃 かぐ | 📏 はかる |
|---|---|---|---|
| はっぱは、どんな 色や形を している かな? | はっぱや くきを さわると、どんな かんじが するかな? | はっぱや くきは、どんな においが するかな? | なえのせは、どのくらいの 高さかな? はっぱの大きさ は、どのくらいかな? |

# かんさつしたことを かこう！

## 1 気づいたことを ことばにしよう

### どんな ようすか、どれくらいかを あらわすことばを つかってみる

はっぱや くきは、どんな 色か、どんな 形を しているか、大きさや高さや数は、どれくらいかを かんさつして、ことばにしてみましょう。

> どんな ようすか、どれくらいかを あらわすことばの れい
>
> みどり色　　とがった　　小さい

はっぱも くきも、みどり色を しているね。

はっぱは、ハートのような形を しているよ。

### ようすをあらわすことばを つかってみる

「ちくちく」や「ふわふわ」のように、ようすをあらわすことばを つかってみましょう。

> ようすをあらわす ことばの れい
>
> ざらざら
>
> ぎざぎざ

はっぱを さわると、ざらざら しているよ。

### にているものを さがしてみる

色や高さを ほかのものとくらべて あらわしたり、にているものを さがして たとえを つかったりしてみましょう。

> ほかのものとくらべて あらわすことばの れい
>
> ○○よりも
>
> ○○くらい

> たとえを つかって あらわすことばの れい
>
> ○○のような
>
> ○○みたいな

# 2 絵を かいてみよう

　かんさつしたことを　ことばであらわす
だけでなく、絵もかくと、もっとわかりや
すく　つたえることが　できます。
　絵をかくときは、ぜんたいが　わかるよ
うに　かくほうほうと、ひとつのぶぶんを
大きくかくほうほうが　あります。
　自分が　いちばん　つたえたいことが
わかるように、かいてみましょう。

よく見ると…

なえの　ぜんたいを　かく
と、どんな　形を　してい
るかが　わかる。

はっぱだけを　大きくかく
と、はっぱのようすが　く
わしく　わかる。

# 3 かんさつカードを　かいてみよう

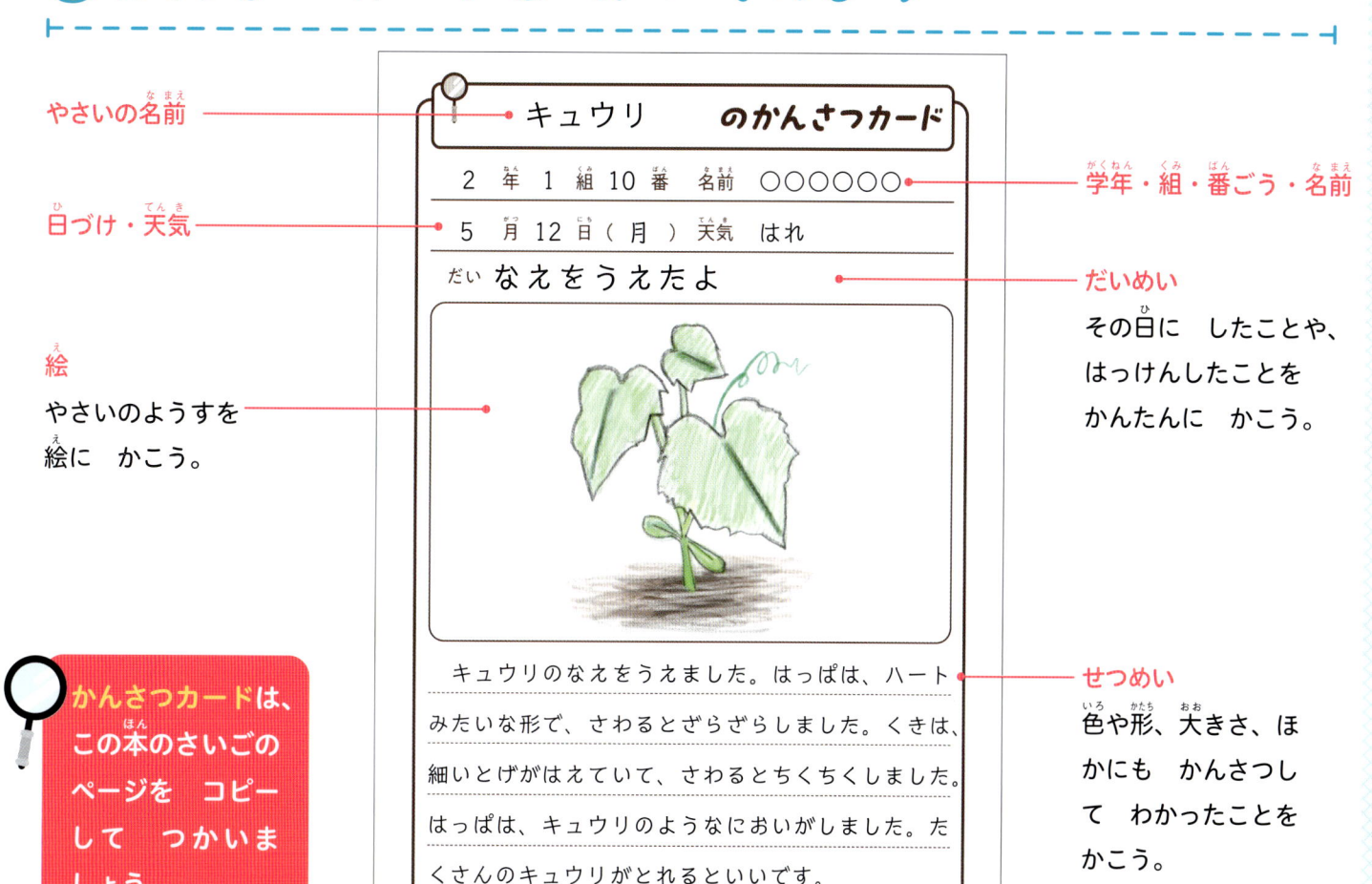

やさいの名前 → キュウリ　のかんさつカード

学年・組・番ごう・名前

2 年 1 組 10 番 名前 ○○○○○○

日づけ・天気 → 5 月 12 日（月）天気 はれ

だい なえをうえたよ

だいめい

その日に　したことや、
はっけんしたことを
かんたんに　かこう。

絵
やさいのようすを
絵に　かこう。

せつめい

色や形、大きさ、ほ
かにも　かんさつし
て　わかったことを
かこう。

キュウリのなえをうえました。はっぱは、ハート
みたいな形で、さわるとざらざらしました。くきは、
細いとげがはえていて、さわるとちくちくしました。
はっぱは、キュウリのようなにおいがしました。た
くさんのキュウリがとれるといいです。

かんさつカードは、
この本のさいごの
ページを　コピー
して　つかいま
しょう。

さいばい
2週め〜

# まきひげが のびたよ！

まきひげが のびてきました。みが たくさん できるように、ひりょうを やりましょう。

まきひげの先が 何かに さわると、 まきつくよ。

キュウリの くき（つる）は、自分で まっすぐ立てないんだ。 だから、まきひげを しちゅうに まきつけて、 体を ささえるんだよ。

## ひりょうのやりかた

なえを うえて2週間たったら、ひりょうを やりましょう。 ねもとから 少し はなれた ところに、ひりょうを まきます。このあとも、しゅうかくが おわるまで、2週間に1回、ひりょうを やりましょう。

まきひげは、どうまきつくのかな？

まきひげ

## かんさつ名人になろう！

 見る
まきひげは、どこから
のびているかな？　何本
あるかも　数えてみよう。

 さわる
まきひげを　ゆびで
さわると、どうなる
かな？

 かぐ
まきひげに
においは、あ
るかな？

 はかる
まきひげの長さ
は、どのくらい
かな？

15

# キュウリを そだてよう！

**さいばい 3週め〜** 花が さいたよ！

キュウリの花が さきはじめました。
風通しが よくなるように、下のほうの
わきめを 切りましょう。

## わきめの切りかた

わきめは、はっぱのつけねから出る 小さなめです。のびると、くき（つる）に なります。

下から5番目までのわきめを はさみで切りましょう。

わきめ⑤
わきめ④
わきめ③
わきめ②
わきめ①

わきめを 切ると、風通しがよくなって びょうきになりにくいよ。あと、みにえいようが たくさんいくように なるんだ。

**わきめの切りかたを どうがで見てみよう！**

**おばなと めばな、どうちがう？**

おばな

めばな

めばなの つけねは、おばなよりも長い。

# かんさつ名人になろう！

👀 見る
花は、何色で、形は、何ににているかな？　おばなと　めばなは、どうちがうかな？　花の数も　数えてみよう。

✋ さわる
花をさわると、どんな　かんじが　するかな？

👃 かぐ
花は、どんなにおいが　するかな？

📏 はかる
花の大きさは、どのくらいかな？

黄色い花が
いっぱい
さいたよ！

# みが できたよ！

さいばい
6週め〜

花がかれて、みが 大きくなって
きました。みが 20cm くらいに
なったら、しゅうかくしましょう。

## しゅうかくのしかた

かたほうの手で みを ささえます。はんたいの手で
はさみを もって みの つけねを 切りましょう。

しゅうかくのしかたを どうがで 見てみよう！

みは、どうできるのかな？

めばな

めばなが かれたあと、つけ
ねが大きくなって みになる。

キュウリの みは、
すぐに大きくなるよ。
みを 見つけたら、
大きくなりすぎる前に
しゅうかくしよう。

キュウリの み は、20cm くらいの長さだよ。

## かんさつ名人になろう！

| 👀 見る | ✋ さわる | 👃 かぐ | 📏 はかる |
|---|---|---|---|
| みは、どんな 色や形を しているかな？ いくつ あるかも 数えてみよう。 | みを さわると、どんな かんじ が するかな？ | みは、どんな においが する かな？ | みの 大きさ は、どのくら いかな？ |

# やさいのプロに 聞いてみよう！

## キュウリに 元気が ない！
## どうすれば いいの？

元気なキュウリのはっぱは、みどり色で いきいきしています。はっぱが しおれて 土が かわいていたら、ねもとに 水を たっぷり やりましょう。水や ひりょうが 足りないと、みが まがってしまうことが あります。

もし、はっぱに 虫が いたら、わりばしやテープで 虫を とりましょう。はっぱに 白や黄色のもようが あったら、びょうきなので、そのはっぱを とって すてましょう。

### まがったキュウリの み

水や ひりょうが 足りないと、みが まがってしまう。あじは かわらないので、食べられる。

### キュウリに つきやすい虫

ウリハムシ　　　　　　アブラムシ

ウリハムシは、すばしっこいので、うごきが まだゆっくりな朝に、つかまえるようにする。

### びょうきの はっぱ

ベトびょう はっぱに 黄色いもようが できていたら、そのはっぱを とって すてる。

小さい虫を とるには、テープが べんりだよ。こういうふうに、テープの、のりが ついているほうを 外がわにして、ゆびに まきつけるんだ。

## 大きなみが できるようにしたい！ どうすれば いいの？

　キュウリの　まん中のつるは「親づる」、親づるから　のびる　つるは「子づる」といいます。

　子づるが　のびすぎると、えいようが　足りなくなって、みが　よく　そだちません。風通しが　わるくなって、キュウリが　びょうきになることもあります。

　子づるは、はっぱを　2まいだけのこして　その先を　切ってしまいましょう。こうすると、子づるは　のびなくなります。

切る　子づる　親づる

子づる　切る

## キュウリの　みに とげが　あるのは　どうして？

　しゅうかくしたばかりの　キュウリの　みには、とげが　あります。とげは、どうぶつに　食べられないようにみを　まもるために　ついています。

　しゅうかくして　しばらくすると、とげは、しぜんに　とれてしまいます。

　はじめから　とげがない　しゅるいの　キュウリもあります。

とげ

さいばい
8週め〜

# せが ぐんぐん のびたよ！

キュウリが ぐんぐん のびています。
せが しちゅうと同じくらいになったら、つる
の 先のほうを 切りましょう。

## つるの切りかた

いちばん先のはっぱの 下のところ
を はさみで切ります。

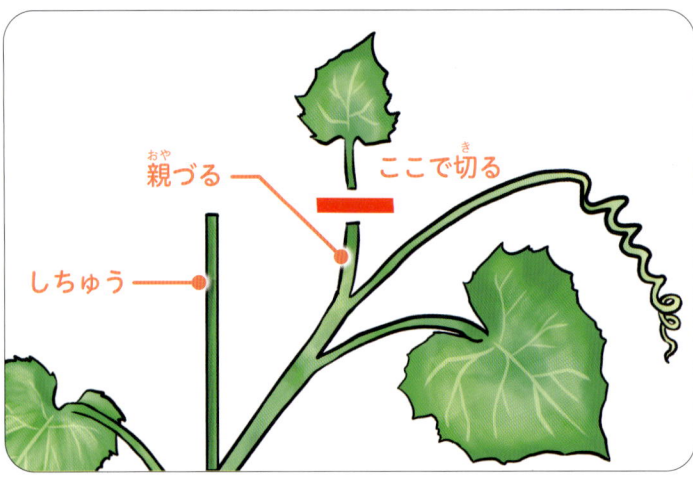

親づる　　　ここで切る

しちゅう

つるの てっぺんを
切ると、下のほうから
新しいつるが のびてくる。
その新しいつるからも、
みを しゅうかく
できるんだよ！

つるの切りかたを どうがで見てみよう！

# かんさつ名人になろう！

| 👀 見る | ✋ さわる | 👃 かぐ | 📏 はかる |
|---|---|---|---|
| つるの　てっぺんは、どうなっているかな？　つるの太さは、どうなったかな？ | さわるばしょによって、つるの太さは、かわるかな？ | はっぱや　つるは、どんな　においがするかな？ | せは、どのくらい高くなったかな？ |

つるの　てっぺんを　切ると、もっと・みが　できるんだって！

まだまだ　とれるよ！

# キュウリは どうそだつの？

キュウリのたね

春に キュウリのたねを まくと、めが 出てきます。
しばらくすると はっぱが ふえて、せが のびます。
そして 花が さいて、みが できます。
みの中には、たねが 入っていて、春にまくと、また
めが 出てきます。

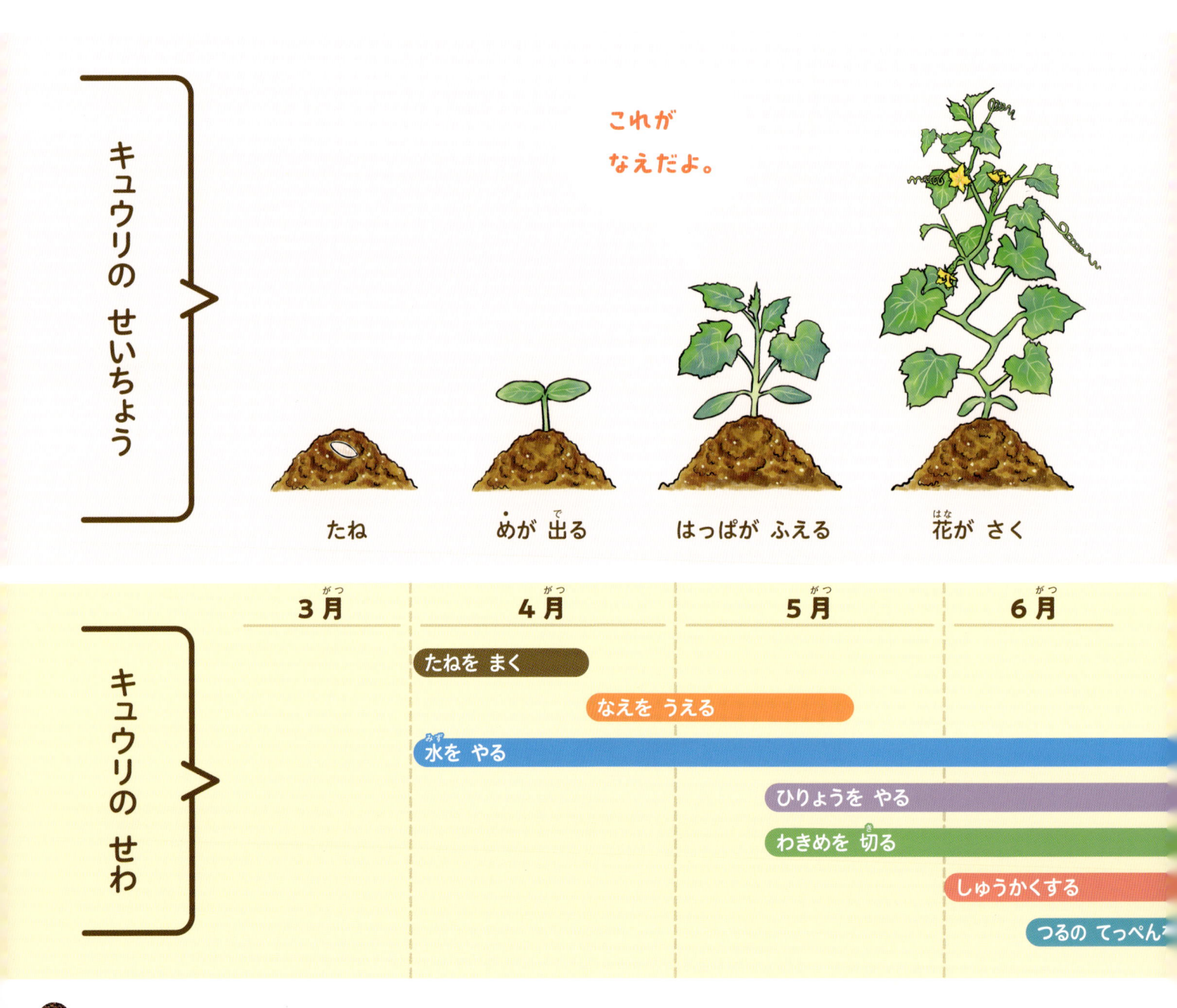

これが
なえだよ。

キュウリの せいちょう

| たね | めが 出る | はっぱが ふえる | 花が さく |

キュウリの せわ

| | 3月 | 4月 | 5月 | 6月 |
|---|---|---|---|---|
| たねを まく | | | | |
| なえを うえる | | | | |
| 水を やる | | | | |
| ひりょうを やる | | | | |
| わきめを 切る | | | | |
| しゅうかくする | | | | |
| つるの てっぺん | | | | |

# 体は どうなっているの？

　キュウリの体は、はっぱと　くき（つる）と、ねっこ（ね）で　できています。くきからは、細いまきひげも　出てきます。

　はっぱは、えいようを　つくります。ねっこは、土から　水や　えいようを　すいます。くきと　まきひげと　ねっこは、体を　ささえるしごとも　しています。

　キュウリの花には、おばなと　めばなの　2しゅるいが　あります。おばなの花ふんが　めばなについて　じゅふんすると、みが　できます。

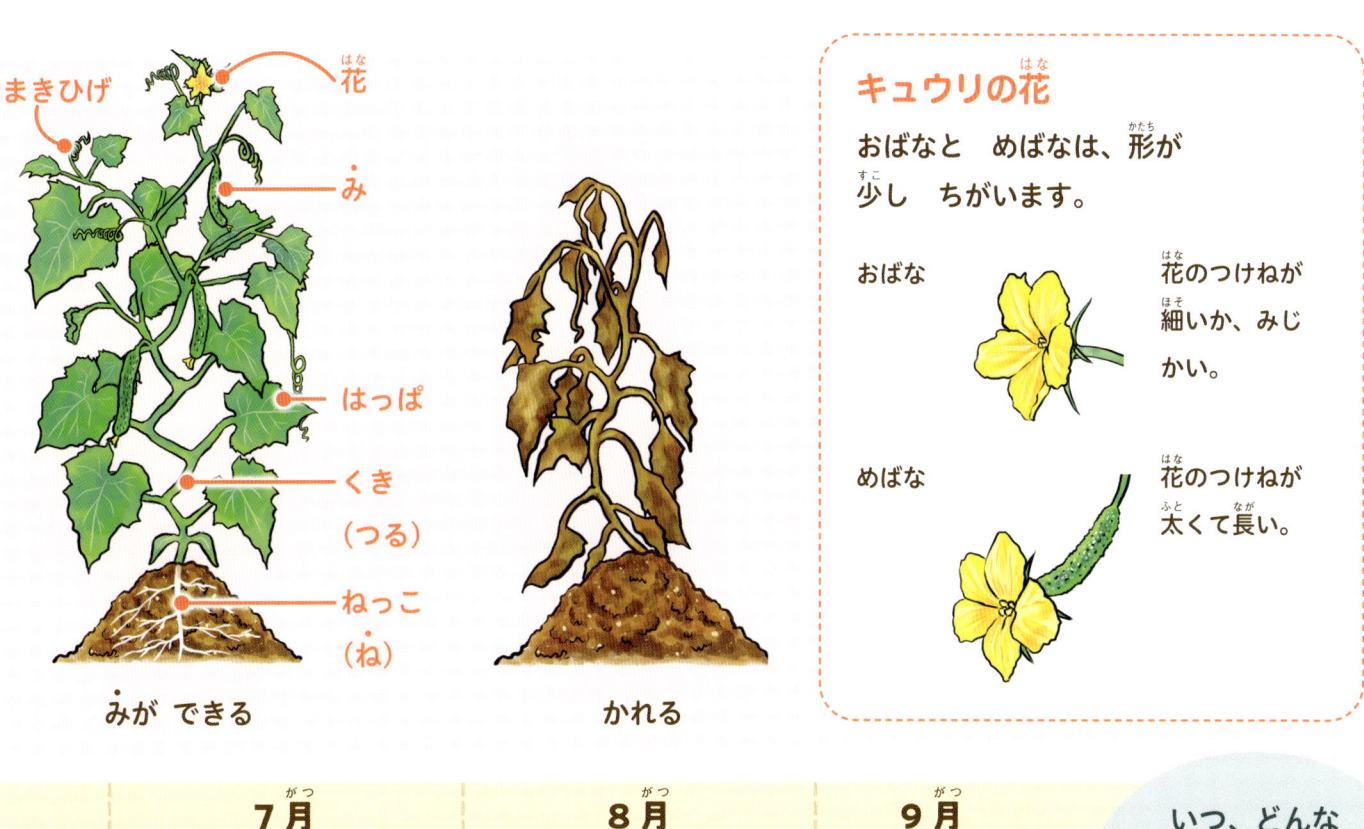

まきひげ
花
み
はっぱ
くき（つる）
ねっこ（ね）

みが できる

かれる

### キュウリの花

おばなと　めばなは、形が少し　ちがいます。

おばな　　　　　　花のつけねが細いか、みじかい。

めばな　　　　　　花のつけねが太くて長い。

|  | 7月 | 8月 | 9月 |
|---|---|---|---|

刀る

いつ、どんなせわを　するかは、すんでいるところによって　ちがうから気をつけてね。

# タブレットを つかってみよう！

## 1 しゃしんなら 見たままを きろくできるよ！

タブレットで しゃしんを とってみましょう。とりたいものからはなれると、ぜんたいを うつすことが できます。近づくと、とりたいものを 大きくうつすことが できます。

よこや 後ろ、いろいろな ほうこうから とってみましょう。

はなれたところから見た花

よこから見た花

とりたいものが、
がめんの まん中に
くるようにすると、
じょうずに
とれるよ。

## 2 ふりかえりや はっぴょうで つかえるよ！

タブレットは、とったしゃしんを くらべて ふりかえったり、しゃしんを 見せながら 話しあったりするときにも、べんりです。

しゃしんと文字や音声を 組みあわせて、わかったことを せいりしたり、みんなにはっぴょうしたりすることも できます。

# ぎもんを かいけつしよう！

## 1 本などでしらべる

としょかんで やさいのそだてかたの本を さがして、しらべてみましょう。

インターネットの けんさくで しらべることも できます。

インターネットは、おとなの人と いっしょに つかいましょう。

## 2 じょうほうを こうかんする

クラスやグループで話しあって、やさいのせわで こまっていることや わかったことを つたえあいましょう。

教室や ろうかに そうだんコーナーを つくって、知りたいことや、教えてあげたいことを つたえあう ほうほうもあります。

## 3 くわしい人に インタビューしよう！

のうかの人や やさいのことに くわしい人に 話を 聞いてみましょう。

❶ 行く前に、聞きたいことを かじょうがきで せいりして かいておく。

❷ あいてが いそがしくないかを たしかめる。

❸ さいしょに あいさつを して、自分の名前を 言う。

❹ あいてを 見て、はっきりした声で 聞く。 聞いたことは、メモしておく。

❺ おわったら、おれいを 言う。

# キュウリのことを

キュウリを そだてて かんじたことや わかったことを
みんなに つたえましょう。

## かるたを つくろう

キュウリのことで つたえたいことを あつめて、かるたを つくりましょう。
読みふだに みじかい文で せつめいを かいて、絵ふだに 絵を かいたり、
しゃしんを はったりします。

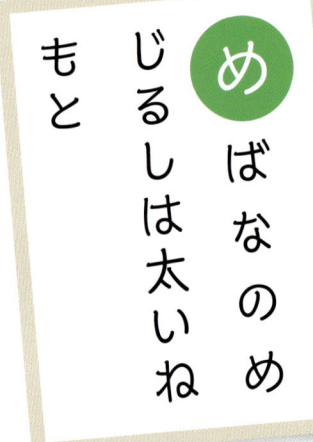

28

# まとめよう

ほかの巻にも いろいろな まとめかたが のっているよ。 見てみてね！

## 新聞を つくろう

　新聞では、つたえたいことを　みじかい見出しにまとめてから、せつめいの文を　かきます。

---

### おいしくなあれ
### キュウリ新聞

「つ」の字みたいなキュウリができたよ！

　毎日せわをしていたキュウリのみができたので、しゅうかくしました。

　キュウリは「つ」の字みたいにまがっていてびっくりしました。でも、食べたらとてもおいしかったです。

ぐい〜んとまがった キュウリのみ

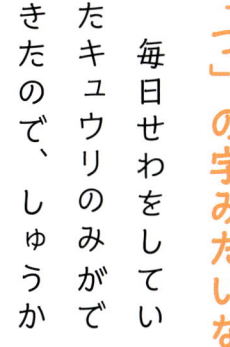

キュウリのてきをたいじしたよ！

　キュウリに虫がいました。しらべたら、ウリハムシでした。はっぱがあちこち食べられていました。とてもすばしっこかったけど、がんばってわりばしで虫をとりました。

7月 10日

二年一組
こみねしおり

---

**新聞の名前**
目立つように大きな字で　かこう。

**見出し**
いちばん　つたえたいことをみじかい文で　かこう。

**しゃしんや絵**
しゃしんを　はったり、絵をかいたりすると、つたわりやすくなる。

**日づけ**
新聞をつくった日を　かいておこう。

**まとめた人の名前**
新聞をまとめた人の学年・組・名前を　かこう。

# キュウリのミニちしき

## キュウリは どんな りょうりに つかわれているのかな?

キュウリのほとんどは水分で、あじも さっぱりしています。だから、生のままで いろいろなりょうりに つかわれています。

サラダ　　　　　　　つけもの　　　　　　　やさいスティック　　　　　かっぱまき

## しんせんなキュウリの 見分けかた

お店でキュウリを 買うときは、こいみどり色で ツヤツヤしているものを えらびましょう。

しんせんなキュウリは、はしから はしまで 同じくらいの太さです。もってみると 少しおもい かんじが します。

しんせんなキュウリ

古くなったキュウリ

## キュウリの ほぞんのしかた

キュウリは、なるべく 早く食べましょう。すぐに食べられないときは、きれいにあらってから、れいぞうこの やさい室に ほぞんしましょう。

❶キュウリを 水でよく あらったあと、水分を しっかりとる。

❷キュウリを 1本ずつ ペーパータオルでつつむ。

❸ポリぶくろに入れてから、れいぞうこのやさい室に 入れる。

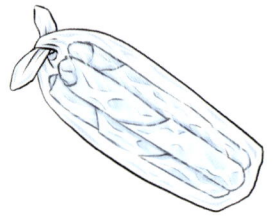

# さくいん

**監修 河村 亮**（かわむら りょう）

1976年、広島県生まれ。三和農園代表。1997年、大分臨床工学技士専門学校卒業後、臨床工学技士として病院に勤務していたが、趣味で家庭菜園を始めたことをきっかけに兼業農家に転身。2014年より、専業農家として静岡県焼津市で三和農園を営む。インターネットを通じて野菜を販売しているほか、YouTubeに数多くの農業動画をアップロードし、注目を集めている。

〈指導〉
加藤真奈美（学習院初等科教諭）
長代　大（学習院初等科教諭）

〈企画・編集〉
山岸都芳、佐藤美由紀（小峰書店）
常松心平、飯沼基子（303BOOKS）

〈装丁・本文デザイン〉
倉科明敏（T.デザイン室）

〈イラスト〉
すぎうら　あきら
はやみ　かな（303BOOKS）
TASK

〈撮影〉
土屋貴章（303BOOKS）

〈撮影協力〉
山岸詩織
りん

〈写真〉
PIXTA（p.3・8・9・11・15・18・20・23・24・26・29）
／アフロ（p.14・16）／アマナ（p.21）

そだてる・かんさつ・まとめる
**めざせ！ やさい名人**
**②キュウリ**

2025年4月6日　第1刷発行

監　　修　河村　亮
発　行　者　小峰広一郎
発　行　所　株式会社 小峰書店
　　　　　　〒162-0066 東京都新宿区市谷台町4-15
　　　　　　TEL 03-3357-3521　FAX 03-3357-1027
　　　　　　https://www.komineshoten.co.jp/
印　　刷　株式会社 精興社
製　　本　株式会社 松岳社

©2025 Komineshoten Printed in Japan
NDC620　31p　29×23cm　ISBN978-4-338-37002-8